¡Sí, yo puedo!

Adapted from *El desafío* by Deb Navarre

D1649134

Editor: Beth Freedman
Video/Audio Production: Luz Maria Lara Can
Desktop Publisher: Jennifer Knutson

Ordering Information:
SKU: 1B6675
ISBN: 978-0-7560-6380-1

Published by
Teacher's Discovery®
English • French • German • Social Studies • **Spanish**
2741 Paldan Drive, Auburn Hills, MI 48326
Phone 1.800.TEACHER • Fax 1.800.287.4509
teachersdiscovery.com

©2019 American Eagle Co., Inc.
This product is the copyrighted property of American Eagle Co., Inc. Purchase of this reader grants one teacher a single-user license for use in his or her classroom. It is illegal to make multiple copies for a class set, entire school, or school district. This product may not be loaded to or installed on a school network or server. You may not remove or alter any copyright, trademark, service mark, or other copyright notices. It is illegal to copy, publish, distribute, retransmit, sell, or provide access to the content except as described in this license. You may not modify, decompile, or reverse engineer software files, or create derivative works based on this reader.

Aburrido en la clase de Español

Es jueves. Mario está en la clase de Español. Los alumnos están leyendo una novela de Gabriel García Márquez en silencio. Mario no quiere leer. Tiene mucha hambre y no puede pensar en literatura. Está mirando el reloj de pared y pensando en comer. Todavía quedan quince minutos de clase.

Mario saca su teléfono de su bolsillo y lo esconde debajo de su pupitre. Si el profesor ve su teléfono, va a tomarlo, y sus padres van a tener que venir a recogerlo. Le manda un mensaje de texto a Cristina, su novia, que ahora está en la clase de Matemáticas. El mensaje de texto dice: «¡Hola, guapa! ¿Quieres ir al boliche esta noche?».

Mario espera unos segundos y llega un mensaje de texto de Cristina: «No, Mario, no puedo. Tenemos un examen mañana en la clase de Inglés, ¿recuerdas? Necesito estudiar. ¿Tal vez podemos estudiar juntos?».

Mario se acuerda del examen y le responde: «¡Ay!, sí, es cierto. El examen. Pues no quiero estudiar, pero sí quiero verte a ti. Entonces, sí, estudiemos».

Muy pronto le llega otro mensaje de texto de Cristina: «¡Perfecto! Bueno, hablamos luego. Mi profesor de Matemáticas va a ver mi teléfono. Nos vemos durante el almuerzo. Un beso».

Mario sonríe y pone su teléfono en su bolsillo. A Mario le gusta mucho Cristina. Ya han sido novios por un mes. Se conocieron en la clase de Biología este año. Cristina es baja con pelo castaño y ojos verdes. Es una muchacha muy inteligente. Mario es mediano con pelo moreno y ojos cafés. Es un muchacho muy cómico. Siempre está haciendo cosas tontas. A Cristina le gusta mucho la personalidad de Mario. El único problema en su relación es que Mario siempre quiere jugar y salir. A Mario no le gusta mucho estudiar y no le importan mucho las notas. A Cristina también le gusta jugar y salir, pero también pasa mucho tiempo estudiando porque quiere recibir buenas notas en sus clases.

Mario piensa que tal vez Eric y Carmen quieran estudiar para el examen de Inglés esta noche también.

Mario, Eric y Carmen han sido muy buenos amigos por muchos años, desde el kínder. Ahora están en el décimo año de la escuela. Van a la escuela Colegio de Bachilleres 22 en Mérida, Yucatán. Hace poco que Eric y Carmen ya son más que amigos: son novios. Carmen es baja con piel clara y ojos cafés, y Eric es de estatura mediana con pelo castaño y ojos cafés. Carmen es muy inteligente y también es deportista. Juega en los equipos de la escuela. Eric es más tímido. Le gusta pasar el tiempo en internet y le gusta jugar videojuegos. A Mario le gusta mucho que Eric y él tengan novias al mismo tiempo. Siempre salen juntos los cuatro.

Por fin, suena la campana. Todos los alumnos ponen sus libros, cuadernos, lápices y bolígrafos en sus mochilas, y salen de la clase.

—¡Hasta mañana! —les grita el profesor.

Mario está feliz porque ya es hora de comer.

el patio de la escuela

¿Usas tu teléfono en las clases?

Preguntas
Aburrido en la clase de Español

Después de leer, contesta las siguientes preguntas del capítulo uno:

1. ¿Qué leen los alumnos en la clase de Español?
2. ¿Dónde esconde Mario su teléfono?
3. ¿A quién le manda Mario un mensaje de texto?
4. ¿Por qué no puede ir Cristina al boliche?
5. ¿Quién es Cristina? ¿Cómo es?
6. ¿Cuál es el único problema en la relación de Mario y Cristina?
7. ¿Cómo se llama la escuela de Mario?
8. ¿Dónde está la escuela de Mario?
9. ¿Cómo es Eric?
10. ¿Cómo es Carmen?

Chapter 1 audio

Por fin, ¡a almorzar!

Mario va a su armario y pone su mochila adentro. De repente, llega Cristina con su almuerzo en la mano. Cristina siempre empaca su almuerzo y Mario siempre compra su comida en la cafetería.

—Hola, guapa —le dice Mario, y le da un beso a Cristina.

—Hola, hola. ¿Cómo te fue en la clase de Inglés? —pregunta Cristina.

—¡Ay!, ¡muy aburrida! Estamos leyendo un libro de Staineddeck.

Cristina se ríe.

—¡Ay!, Mario, no se llama así. Se llama Steinbeck. A mí me gusta leer novelas famosas. Es muy bueno saber de literatura famosa. Yo pienso que es muy interesante.

—Pues yo prefiero pensar en mi novia en vez de leer. Ella es más bonita que un libro —responde Mario mientras le da otro beso.

Los dos caminan a la cafetería. Carmen también entra en la cafetería al mismo tiempo con su almuerzo en la mano, y empieza a hablar con Cristina. Las dos muchachas van a sentarse a una mesa. Mario camina al final de la cola de la comida. Eric está allí también.

—Mira, Mario —le dice Eric—. Tienen *churros* hoy.

—¡Ah!, ¡qué bueno! Yo tengo mucha hambre. Voy a pedir cuatro —responde Mario.

Los dos piden su comida y pagan. Caminan a la mesa donde están sus novias. Eric le da un beso a Carmen.

—¿Qué van a hacer esta noche? —les pregunta Mario a Eric y a Carmen—. Cristina y yo vamos a estudiar para el examen de Español. ¿Quieren estudiar con nosotros?

Carmen le sonríe a Cristina y le dice:

—Cristina, es increíble la influencia que tienes sobre Mario. Ahora quiere estudiar. Es increíble.

Mario responde:

—Oye, oye. ¡Yo siempre estudio! ¡Soy un alumno muy bueno!

Carmen se ríe, mira a Mario y le dice:

—Mario, por favor. Antes de ser novio de Cristina, casi nunca estudiabas. Ahora, por la buena influencia de Cristina, estudias mucho más. Pero todavía no estudias mucho. ¿Cómo son tus notas?

Mario sonríe y responde:

—Pues sí, es la verdad, lo admito. Ahora mis notas son ochos y nueves, y antes eran sietes y ochos. Cristina es una influencia muy buena. Y... una influencia muy... bonita.

Mario le da otro besito a Cristina.

—¡Ay!... ¡Qué bonito! —responde Carmen.

—Bueno, muchachos. Entonces, ¿dónde vamos a estudiar? ¿Y a qué hora? —pregunta Cristina.

—Podemos estudiar en mi casa —responde Mario—. ¿A las... siete?

—Sí. A las siete —contesta Cristina.

—Yo también puedo estudiar a las siete —responde Eric.

—Yo tengo práctica de baloncesto hasta las siete, pero voy después —contesta Carmen.

—Perfecto. A las siete en mi casa —dice Mario.

Los cuatro comen sus almuerzos. Carmen y Cristina hablan del programa de *Latin American Idol* de anoche, mientras Mario y Eric hablan de los deportes.

los churros con canela y azúcar

¿Cuál es tu comida favorita de la cafetería de la escuela?

Preguntas
Por fin, ¡a almorzar!

Después de leer, contesta las siguientes preguntas del capítulo dos:

1. ¿Quién siempre compra su comida en la cafetería?

2. ¿Qué piensa Cristina de la literatura famosa?

3. ¿Qué tipo de comida tienen en la cafetería hoy?

4. ¿Cuántos churros va a pedir Mario?

5. ¿Por qué dice Carmen que Mario ahora estudia más?

6. ¿Cómo son las notas de Mario ahora?

7. ¿Dónde van a estudiar los muchachos? ¿A qué hora?

8. ¿Por qué no puede llegar Carmen a la casa de Mario a las siete?

9. ¿De qué hablan Carmen y Cristina en la mesa?

10. ¿De qué hablan Mario y Eric en la mesa?

Chapter 2 audio

¿Un juego para... estudiar?

Son las siete. Mario está en su recámara jugando videojuegos. De repente, su mamá le grita:

—¡Mario! ¡Cristina y Eric están aquí!

Mario apaga el videojuego y va a la cocina. Cristina y Eric ya están sentados a la mesa. Están hablando con la mamá de Mario.

Mario le da un beso a Cristina.

—¿Quieren ustedes algo de tomar? —les pregunta la mamá de Mario—. Tengo limonada, té helado, leche con chocolate...

—Para mí una limonada, por favor —responde Cristina.

—Y para mí también, señora, gracias —contesta Eric.

—De nada —responde la mamá de Mario.

La mamá de Mario llena dos vasos de limonada y se los da a Cristina y a Eric.

—Bueno, mamá —dice Mario—. Vamos a estudiar para nuestro examen de Inglés de mañana. Carmen va a venir también, pero viene después de su práctica de baloncesto.

—¡Excelente! —responde la mamá de Mario—. Pues yo voy a la sala a mirar la tele con tu papá. Ya saben que están en su casa.

—Gracias, señora —responden Cristina y Eric.

—Bueno, vamos a empezar —dice Cristina—. El examen de mañana es sobre el vocabulario de la comida.

—Hay tanta memorización —dice Mario—. ¿Por qué siempre cada semana tenemos que memorizar tantas palabras de vocabulario?

—Pues, porque... ¿cómo puedes hablar otro idioma sin saber PALABRAS del idioma? ¡Claro que hay que memorizar vocabulario! —responde Cristina.

—¡Ay!, es que es demasiado —responde Mario.

—No, no es demasiado. Es que tú no prestas atención en la clase y nunca quieres estudiar.

Mario sonríe. Sabe que Cristina tiene razón.

—¿Sabes qué? —dice Eric—. Carmen siempre usa tarjetas para memorizar vocabulario. Escribe la palabra en inglés de un lado y, del otro lado, hace un dibujo de la palabra y escribe la palabra en español.

—Es una buena idea —responde Cristina—. Podemos hacer eso. ¡Y también, podemos jugar un juego con las tarjetas! Tengo una idea para un juego. Mario, ¿tienes tarjetas?

—Sí —contesta Mario—. Tenemos unas en la oficina. Voy por ellas.

Mario va a la oficina a recoger las tarjetas y regresa a la cocina.

—Perfecto —dice Cristina—. Miren. Hay treinta palabras que necesitamos saber para el examen de mañana. Vamos a hacer diez tarjetas de vocabulario cada uno. Entonces vamos a usar las tarjetas en un juego para estudiar.

—Estudiar no es un juego —dice Mario.

—Puede ser un juego, Mario —responde Cristina—. Tienes que pensar de manera creativa.

Los tres hacen las tarjetas de vocabulario. Están a punto de terminar cuando Carmen llega a la casa.

—Hola, muchachos —dice Carmen.

Carmen se va a sentar al lado de Eric.

—Hola, bonita —le contesta Eric mientras le da un besito—. Estamos haciendo tarjetas de vocabulario para estudiar. Casi terminamos.

—¡Ay!, ¡perfecto! Es una forma excelente de estudiar vocabulario —dice Carmen.

Terminan de hacer las tarjetas.

—Bien —dice Cristina—, vamos a jugar un juego. Vamos a poner las tarjetas en una pila sobre la mesa con las palabras en inglés boca arriba. ¡La primera persona que dice la palabra en español recibe la tarjeta! Si nadie sabe la palabra, todos miramos el dibujo y la palabra en español, y entonces la ponemos en otra pila para usar en la próxima ronda. ¡La persona que tiene la mayoría de las tarjetas al fin de la pila gana un punto! Seguimos jugando así hasta que una persona reciba... eh... tres puntos. Entonces jugamos otro juego, con los dibujos y las palabras en español boca arriba. En este juego, hay que ser la primera persona en decir la palabra en inglés. Jugamos este juego hasta que una persona reciba tres puntos. ¿Bien?

—Muy bien —dice Carmen—. Me gusta mucho.

—Eso no es estudiar —dice Mario—. Es jugar.

—Mario —responde Cristina—, te digo que estudiar no siempre tiene que ser aburrido. Puede ser divertido. Vas a ver que vas a aprender mucho. Bueno, muchachos, ¡vamos a jugar!

Los cuatro empiezan a jugar. ¡Se divierten mucho! Es muy divertido tratar de decir la palabra antes que los demás.

Carmen gana el primer juego con tres puntos. Empiezan el otro juego con los dibujos y las palabras en español boca arriba. Los muchachos están riendo y gritando. Es muy divertido.

Mario gana el segundo juego con tres puntos. Mario salta y grita.

Los papás de Mario entran en la cocina. Su papá les pregunta:

—¿Están estudiando? Parece que hay una fiesta aquí.

Mario contesta:

—Sí, mamá y papá, estamos estudiando. ¡Cristina inventó un juego para estudiar y yo gané! Y ahora sé todo el vocabulario para el examen de mañana. ¡Es increíble! ¡Estudiar puede ser divertido!

Los papás de Mario sonríen.

—¡Qué bueno! ¡Eso es excelente! —dice el papá de Mario.

—Bueno, pues ya son casi las ocho y media. Vamos a dejarlo por esta noche —dice Cristina.

Eric, Carmen y Cristina agarran sus cosas, se despiden y salen de la casa.

Mario va a su recámara. Está muy feliz.

nuestra casa azul

¿Vas a casa de tus amigos a estudiar?

Preguntas
¿Un juego para… estudiar?

Después de leer, contesta las siguientes preguntas del capítulo tres:

1. ¿Dónde está Mario cuando Cristina y Eric llegan a su casa? ¿Qué está haciendo?

2. ¿Qué quieren tomar Cristina y Eric?

3. ¿Qué va a hacer la mamá de Mario?

4. ¿Sobre qué es el examen de Inglés de mañana?

5. ¿Qué hacen para estudiar el vocabulario?

6. ¿Cuántos puntos necesita una persona para ganar el juego?

7. ¿Quién gana el primer juego? ¿Quién gana el segundo juego?

8. ¿Qué hace Mario cuando gana?

9. ¿Qué no puede creer Mario?

10. ¿A qué hora terminan de estudiar?

Chapter 3 audio

El examen de Inglés

Al día siguiente, Mario entra en la clase de Inglés. Es su primera clase del día. Cristina, Carmen y Eric ya están en la clase. Están jugando al juego de las tarjetas otra vez. Mario camina hacia ellos.

—Hola, Mario. ¿Quieres jugar otra vez? —le pregunta Cristina.

—Pues claro que quiero jugar. ¡Soy el campeón de este juego! —responde Mario. Mario le da un beso a Cristina.

Los cuatro juegan por unos minutos. La campana suena. Todos van a sus pupitres.

—Buena suerte —le dice Cristina a Mario en voz baja.

—Gracias, guapa —responde Mario.

—Bueno, muchachos, es la hora del examen. No necesitan nada más que un lápiz —dice el profesor.

El profesor les da el examen a los alumnos. En el examen, hay fotos de comidas en un lado del papel y las palabras en inglés en el otro lado. Mario mira la primera foto. Es la foto de un pollo.

—*Chicken* —dice Mario inmediatamente en voz baja.

Mario está muy feliz porque sabe la respuesta inmediatamente. Usualmente, durante los exámenes de Inglés, mira las fotos y las palabras por mucho tiempo porque no sabe las respuestas.

Mira la próxima foto. Es la foto de un pescado.

—*Fish* —dice Mario inmediatamente en voz baja.

Mario está muy emocionado. Continúa con el examen. Sabe todas las respuestas. ¡No puede creerlo!

Termina el examen muy rápido. Decide checar sus respuestas. Usualmente, no termina los exámenes a tiempo y nunca tiene tiempo extra.

Después de unos minutos, el profesor dice:

—Bueno. Es hora de entregar los exámenes.

Mario pasa su examen al frente de la clase. Cristina mira a Mario. Mario le sonríe y le hace una señal de aprobación. Cristina le sopla un beso.

El profesor empieza a hablar de vocabulario nuevo. Usualmente, Mario no presta mucha atención cuando el profesor introduce vocabulario nuevo, pero ahora tiene más interés. Y tiene una misión: ¡seguir siendo el campeón del juego nuevo! Mario presta atención durante toda la clase.

La clase termina y Mario va a hablar con Cristina, Eric y Carmen:

—¡No puedo creerlo! ¡Qué examen tan fácil!

Cristina se ríe:

—¡Ay!, Mario, es porque ESTUDIASTE. ¡Es por eso!

—Bueno, pues me siento muy muy bien. Y para celebrar, ¿qué les parece si vamos a ver una película esta noche?

—Claro que vamos —responde Eric mientras pone su brazo alrededor de Carmen—. Hay una nueva película de Diego Luna.

—Excelente —dice Cristina—. Me parece muy muy bien. Me encanta Diego Luna.

Los cuatro hablan de los planes para la noche mientras salen de la clase.

Plaza Grande, el zócalo

¿Quién es tu actor favorito/actriz favorita?

Preguntas
El examen de Inglés

Después de leer, contesta las siguientes preguntas del capítulo cuatro:

1. ¿Cuál es la primera clase de Mario?

2. ¿Qué están haciendo Cristina, Carmen y Eric cuando entra Mario en la clase?

3. ¿Qué dice el profesor que necesitan para el examen?

4. ¿Qué hay en el examen?

5. ¿De qué es la primera foto del examen?

6. ¿Qué no puede creer Mario?

7. ¿Qué decide checar Mario en su tiempo extra durante el examen?

8. ¿De qué empieza a hablar el profesor después del examen?

9. ¿Cuál es la misión de Mario?

10. ¿Qué van a hacer para celebrar?

Chapter 4 audio

El desafío

Es sábado por la mañana. Son las diez. Mario está en la cama. Acaba de despertarse. Está pensando en el día de ayer. ¡Qué día más fantástico! Un examen muy fácil, una película de Diego Luna con su novia y sus mejores amigos... Fue un día perfecto. Mario está muy feliz.

De repente, la mamá de Mario toca a la puerta de la recámara de Mario. Abre la puerta y dice:

—¡Mario! ¡Mario! Acabo de ver tus notas en la computadora. ¡Recibiste un diez en el examen de Inglés de ayer!

Todos los padres de los alumnos de Colegio de Bachilleres 22 tienen acceso a las notas de sus hijos por un programa de internet. Pueden ver todas las notas de sus hijos en cada clase. Todas las semanas, la mamá de Mario checa sus notas en la computadora.

Mario se pone aún más feliz.

—¡Ah! Es por Cristina. ¡Cristina y su juego para estudiar! —dice Mario.

—Pues tu papá y yo estamos muy muy felices, Mario. Hay que seguir con el buen trabajo.

—Sí, mamá; sí, mamá —responde Mario con una sonrisa.

La mamá de Mario sale de la recámara cantando. Cierra la puerta.

Mario agarra su teléfono y llama a Cristina.

Cristina contesta, y Mario le dice:

—¡Amor! ¡Recibí un cien por ciento en mi examen de Inglés! Estoy muy feliz y mis papás también están muy felices.

—¡Ay!, ¡qué bueno, Mario! ¡Ves! ¡No es tan difícil recibir notas buenas! Solamente tienes que prestar atención en las clases y estudiar.

—No. No lo puedo hacer sin ti. Tú eres... mágica.

Cristina se ríe y le dice:

—¡Ay!, Mario. Te digo que no es CIERTO. Lo puedes hacer tú mismo.

—Bueno, amor, pues voy a desayunar. ¡Oh! Hay un torneo de softball hoy en la escuela y Carmen juega. ¿Quieres ir?

—Sí, está bien —responde Cristina.

—Bueno, te hablo más tarde. Un beso, mi amor.

Mario cuelga el teléfono y va a la cocina. Sus papás están en la cocina. Su mamá está cocinando huevos, tocino y panqueques. Ella siempre hace un desayuno así los sábados. Mario se sienta a la mesa enfrente de su vaso de jugo de naranja y toma un sorbo.

—Mario, bien hecho en tu examen de Inglés. Tu mamá y yo estamos muy orgullosos de ti —le dice su papá.

—Gracias, papá. Yo también estoy muy feliz —responde Mario.

—Bueno, tienes exámenes finales del trimestre pronto, ¿no?

—le pregunta su papá.

—Sí, muy pronto. No me gustan.

—Pues, Mario. Tu mamá y yo queremos darte un desafío: si tú recibes nueves o notas más altas en todos tus exámenes del trimestre, en un mes, vamos a ir a España para las vacaciones de primavera.

—¡España! ¡España! —grita Mario—. ¡¿De veras?!

Mario está muy emocionado. Le encanta la idea de ir a España para las vacaciones de primavera.

—Sí, a España. Pero como dice tu papá —le dice su mamá—, tienes que recibir nueves o notas más altas en todos tus exámenes del trimestre, en los exámenes de Matemáticas, Biología, Español, Inglés e Historia.

Mario responde:

—Pues tengo a Cristina. Ella me va a ayudar a estudiar para todas mis clases. ¡Y... vamos a España!

la bandera de España

Mario salta y grita. Se siente increíble.

¿Cuándo están muy orgullosos de ti tus papás?

Preguntas
El desafío

Después de leer, contesta las siguientes preguntas del capítulo cinco:

1. ¿En qué piensa Mario cuando se despierta?

2. ¿Quién toca a la puerta de Mario?

3. ¿Qué nota recibe Mario en su examen de Inglés?

4. ¿A quién llama Mario?

5. ¿Qué está cocinando la mamá de Mario en la cocina?

6. ¿Dónde se va a sentar Mario?

7. ¿Qué tiene Mario muy pronto?

8. ¿Adónde van a ir si Mario recibe nueves o notas más altas en todos sus exámenes? ¿Cuándo van a ir?

9. ¿Qué exámenes tiene Mario?

10. ¿Cómo se siente Mario?

Chapter 5 audio

La discusión

Es sábado por la tarde y Mario, Cristina y Eric están en el campo de deportes de la escuela. Están mirando un partido de softball del torneo.

—Entonces, ¿tienes que recibir nueves o notas más altas en todos tus exámenes del trimestre? —le pregunta Cristina a Mario—. ¿Y si lo haces, van a ir tus papás y tú a España para las vacaciones de primavera?

—Sí —responde Mario—. ¡Y sé que lo puedo hacer porque te tengo a ti!

—Bueno, mira, Mario. Sí, me tienes a mí y te puedo ayudar un poco, pero yo tengo que estudiar para mis clases también —contesta Cristina.

De repente, todos aplauden. Carmen acaba de marcar un punto y el equipo de Bachilleres 22 acaba de ganar el partido.

—Es que tienes que aprender a estudiar solo también —continúa Cristina—. Yo no siempre voy a tener tiempo para ayudarte.

Mario se siente un poco enojado y le dice:

—Pero eres mi novia. ¿No QUIERES ayudarme?

—Claro que te quiero ayudar, no es eso. Nada más digo que no debes depender de mí para todo —responde Cristina.

—¿Tú piensas que yo dependo de ti para todo? —le dice con voz seria Mario.

—No, Mario, no DIGO ESO. Mira, mejor hablamos de otra cosa —le dice Cristina.

Eric nota la tensión entre Mario y Cristina.

—¡Qué torneo tan bueno!, ¿no? —dice Eric—, Carmen juega increíble.

—Sí, ella es una deportista muy buena —responde Cristina—. Voy a comprar unas palomitas. ¿Quieren algo? ¿Mario? ¿Eric?

—No, no quiero nada. No quiero que pienses que dependo de ti para la comida —le dice Mario con voz sarcástica.

Cristina se enoja mucho.

—¡Pues olvídalo entonces! ¡Ya me voy! Que tengas muy buen día, Eric —le dice Cristina a Eric.

Cristina se retira. Está muy furiosa.

—¿Qué te pasa, Mario? —le pregunta Eric—. Cristina solamente dice que no puede pasar todo su tiempo estudiando contigo. No dice nada más. Y ahora está enojada por tu estupidez.

Mario responde:

—Ah, no sé qué me pasa. No sé. Es que quiero hacer muy bien

los exámenes. Y no solamente para poder ir de vacaciones a España. Es que yo realmente CREO que lo puedo hacer. Pero no sé si lo puedo hacer sin Cristina.

Mario saca su teléfono de su bolsillo y dice:

—Bueno, voy a llamar a Cristina para pedirle perdón.

—Mira, Mario, mejor lo haces en un rato. Ella está muy enojada ahora. No pienso que quiera hablar contigo en este momento.

—¡Ah!, tienes razón —responde Mario.

Los dos siguen mirando el torneo. Mario no puede concentrarse mucho en el torneo, porque está pensando en cómo arreglar las cosas con Cristina.

el equipo nacional de *softball*

¿Eres deportista? ¿Qué deportes juegan tus amigos y tú?

27

Preguntas
La discusión

Después de leer, contesta las siguientes preguntas del capítulo seis:

1. ¿Dónde están Mario, Cristina y Eric? ¿Qué están haciendo?

2. ¿Por qué aplauden todos?

3. ¿Qué dice Cristina que tiene que aprender Mario?

4. ¿Por qué está un poco enojado Mario?

5. ¿Qué nota Eric entre Mario y Cristina?

6. ¿Qué dice Eric del torneo?

7. ¿Qué va a comprar Cristina?

8. ¿Cómo está Cristina cuando se retira?

9. ¿Por qué quiere hacer muy bien los exámenes Mario?

10. ¿Por qué no puede concentrarse Mario en el torneo?

Chapter 6 audio

La reconciliación

Después del partido, Mario va al supermercado. Va a la sección de flores. Busca unas rosas rojas. Las rosas rojas son las flores favoritas de Cristina. Encuentra media docena y las compra. Maneja a la casa de Cristina. Se baja del coche y va a la puerta. Suspira fuerte y toca a la puerta.

Cristina abre la puerta. Mira a Mario con cara seria y las manos en la cintura.

 —Cristina, lo siento. Lo siento mucho. No me gusta pelear. Todo fue mi culpa. Perdóname, por favor.

Cristina suspira fuerte.

—¡Ay!, Mario, claro que te perdono —responde Cristina—, pero tienes que entender que no puedo...

—Sí, ya sé —Mario la interrumpe—. No debo pensar que tú puedes dejar todas tus cosas para ayudarme cuando yo quiera.

—Exacto —responde Cristina.

—Pues, ¿aceptas estas rosas y un beso? —le pregunta Mario con una sonrisa.

Cristina se ríe un poco y le responde:

—Sí, guapo, sí.

Mario le da un fuerte beso.

—Bueno, ¿quieres entrar? —le pregunta Cristina—. Podemos mirar la tele o algo.

—Claro que sí —responde Mario.

Mario entra y los dos van a la sala a mirar la tele. Mario toma la mano de Cristina.

—¿Crees que lo puedo hacer, amor? —le pregunta Mario.

—¿Hacer qué? —responde Cristina—. ¿Recibir notas altas en tus exámenes? Claro que sí. Yo SÉ que lo puedes hacer. Pero recuerda dos cosas: hay que prestar atención en las clases y estudiar. Mira, tú y yo tenemos las mismas clases de Inglés y Biología, así que podemos estudiar juntos para estas clases. De hecho, te prometo que el lunes te voy a ayudar a estudiar para el examen de Inglés. Pero para las otras clases vas a estudiar solo porque yo tengo que estudiar para mis propias clases. ¿Está bien?

—Está más que bien, amor. Está perfecto —responde Mario. Mario le da otro beso y los dos pasan unas horas mirando la tele y hablando.

se venden flores
en el mercado

¿Peleas mucho con tus amigos? ¿Sobre qué?

Preguntas
La reconciliación

Después de leer, contesta las siguientes preguntas del capítulo siete:

1. ¿Adónde va Mario después del torneo?
2. ¿Cuáles son las flores favoritas de Cristina?
3. ¿Cuántas rosas rojas compra Mario?
4. ¿Qué hace Mario antes de tocar a la puerta?
5. ¿Cómo mira Cristina a Mario cuando abre la puerta?
6. ¿Qué no le gusta a Mario?
7. ¿Qué hacen Mario y Cristina en la sala?
8. ¿Cuáles son las dos cosas que tiene que recordar Mario para recibir notas altas en sus exámenes?
9. ¿Para qué clases pueden estudiar juntos Cristina y Mario? ¿Por qué?
10. ¿Qué día van a estudiar juntos para el examen de Inglés?

Chapter 7 audio

¡A estudiar!

Es lunes. Hoy en todas las clases, los profesores distribuyen paquetes de repaso para los exámenes finales. Mario se siente abrumado. Usualmente, no presta atención a los paquetes. Pero ahora quiere probarse a sí mismo que puede recibir notas altas en sus exámenes.

Cuando llega a casa después de la escuela, Mario va a su recámara y cierra la puerta. Saca una hoja de papel y escribe los nombres de todas sus clases en el papel. Pone líneas debajo de cada clase. Decide que va a hacer una lista de todas las cosas que necesita estudiar para cada clase.

Primero: Inglés. Mira su paquete de repaso de Inglés y escribe:

* la conjugación del verbo *To Be* en el pretérito

* vocabulario de la ropa

* vocabulario de la familia

* vocabulario de la comida

Mario ya sabe que puede hacer tarjetas para estudiar el vocabulario. ¿Pero... cómo puede estudiar la conjugación? De repente, recuerda que su profesor siempre dice que hay unos sitios de internet que son muy buenos para practicar la conjugación. Una vez, su profesor les dio a los alumnos una lista de los sitios. Mario busca el papel en su carpeta de Inglés. Lo encuentra dentro de su carpeta.

Va a su computadora y entra a uno de los sitios de conjugación. Mario empieza a leer y hacer los ejercicios de conjugación. Es un sitio muy bueno. Cuando no contestas correctamente, te dice por qué la respuesta que escogiste no es la respuesta correcta. Mario sigue haciendo ejercicios en la computadora. Después de un rato, ¡ya entiende cómo conjugar! Es muy fácil. Mario mira la hora en la esquina de la pantalla de la computadora. ¡Son las cuatro y media! Ha pasado una hora haciendo ejercicios de conjugación en la computadora. No puede creerlo. La hora pasó muy rápido.

Mario mira su paquete de repaso de Biología. Hay mucho vocabulario que necesita saber. ¡Vocabulario! ¡Mario piensa que puede hacer tarjetas para estudiar el vocabulario! Ya entiende que puede usar la misma forma de estudiar para diferentes clases. Si es vocabulario lo que necesita aprender, sabe que funcionan muy bien las tarjetas de vocabulario. Mario está muy feliz.

Mario le manda un mensaje de texto a Cristina: «Cristina, mi amor, ¡ya entiendo la conjugación! Hay un sitio en internet muy bueno que explica todo. Pues yo creo que puedo estudiar solo para la clase de Inglés. Y también veo que para la clase de Biología necesitamos saber mucho vocabulario. Ya entiendo que puedo usar tarjetas para practicar el vocabulario. ¡Gracias por ofrecerme tu ayuda, pero... creo que lo puedo hacer yo solo!».

Mario espera unos momentos y llega un mensaje de texto de Cristina: «¡Qué bueno, mi amor! Perfecto, entonces, yo voy a estudiar para mi clase de Matemáticas esta noche. Un beso, mi amor. ¡Nos vemos mañana! :-)».

Después de la cena por la noche, Mario regresa a su recámara para leer su libro de Español. Mario se da cuenta de que le gusta el libro, que es muy interesante. No puede creerlo, pero piensa que es un poco divertido estudiar y hacer la tarea. Y, realmente, no es muy difícil.

Mario pasa el resto de la semana así, estudiando mucho para todas sus clases. Presta mucha atención en todas sus clases y hace todos sus paquetes de repaso..., y SIN la ayuda de Cristina.

estudiando con diligencia

¿Estudias mucho para tus exámenes finales?
¿Cómo estudias?

Preguntas
¡A estudiar!

Después de leer, contesta las siguientes preguntas del capítulo ocho:

1. ¿Qué hacen los profesores en todas las clases el lunes?

2. ¿Qué quiere probarse Mario a sí mismo?

3. ¿Qué hace Mario con la hoja de papel?

4. ¿Qué hace Mario en el sitio de conjugación?

5. ¿Cuánto tiempo pasa Mario estudiando en la computadora?

6. ¿Qué necesita saber Mario para la clase de Biología?

7. ¿Qué va a hacer Mario para estudiar para el examen de Biología?

8. ¿Qué va a estudiar Cristina por la noche?

9. ¿Qué hace Mario después de la cena?

10. ¿Qué piensa Mario de estudiar y hacer la tarea?

Chapter 8 audio

Los exámenes finales

Por fin llegan los días de los exámenes finales del trimestre. Mario está muy nervioso. Usualmente, no le importan tanto los exámenes finales. Normalmente, recibe sietes o, a veces, ochos en sus exámenes. Pero ahora le importan sus notas.

Mario toma sus exámenes. Todos los exámenes finales son muy fáciles para Mario. Usualmente, intenta adivinar muchas de las respuestas de los exámenes finales, pero ahora Mario sabe la mayoría de las respuestas de cada examen.

Después de su último examen, Mario se siente muy agotado. Sale de su clase. Cristina está allí, esperándolo.

—¡Pues felicidades, amor! —le dice Cristina—. ¡Ya terminaron los exámenes! ¿Quieres celebrarlo esta noche?

—¡Ah!, amor, sí, quiero. Pero estoy muy cansado —responde Mario.

Cristina se ríe un poco y le dice:

—¡Ay!, amor, está bien. Mejor descansa por el resto del día. Mañana es sábado y podemos celebrarlo entonces. ¡Estoy muy muy orgullosa de ti, amor!

Cristina le da un gran beso.

caminando por la calle

Para ti, ¿son fáciles o difíciles los exámenes?
¿Por qué?

Preguntas
Los exámenes finales

Después de leer, contesta las siguientes preguntas del capítulo nueve:

1. ¿Cómo está Mario los días de los exámenes finales?

2. ¿Qué notas recibe Mario usualmente en sus exámenes?

3. ¿Cómo son los exámenes finales para Mario?

4. ¿Qué hace Mario, usualmente, en los exámenes finales?

5. ¿Cómo se siente Mario después de su último examen?

6. ¿Quién está esperando a Mario después de su último examen?

7. ¿Qué le pregunta Cristina a Mario?

8. ¿Por qué Mario no puede celebrar el fin de los exámenes por la noche?

9. ¿Cuándo van a celebrarlo?

10. ¿Cómo se siente Cristina?

Chapter 9 audio

Los resultados

Es sábado por la mañana y Mario está dormido en la cama. Escucha el sonido de su teléfono. Es el sonido de un mensaje de texto. Mario se levanta y camina hacia el teléfono, que está encima de su cómoda. Es un mensaje de texto de Cristina: «Buenos días, amor, ¿quieres ir al boliche? ¡Hoy no tenemos que estudiar para nada!».

Mario se ríe y contesta: «¡Claro que sí, amor! Te hablo después del desayuno. Un beso».

Mario va a la cocina. Sus papás están en la cocina. Su mamá está haciendo el desayuno.

—Buenos días —le dicen los papás a Mario.

—Buenos días, mamá y papá —responde Mario.

Mario se sienta a la mesa enfrente de su vaso de jugo de naranja y toma un sorbo.

—Este…, Mario —le dice con voz seria su papá—. Tu mamá y yo acabamos de ver tus notas de los exámenes finales en la computadora.

Mario pone el vaso en la mesa. Piensa en todo el tiempo que pasó estudiando para todos sus exámenes. Está muy nervioso.

—¿Y…, papá? —le pregunta Mario.

—Y… —responde su papá—, ¡recibiste dos dieces y tres nueves. ¡Felicidades, hijo!

Su mamá le da un fuerte abrazo. Mario no puede creerlo. ¡Está tan feliz! Mario salta y grita.

—¿Entonces…, vamos a ir a España? —les pregunta a sus papás.

—¡Claro que sí! ¡Vamos a ir a España! —grita su mamá.

Mario sonríe. La vida es bella.

despegando hacia España

¿Qué haces tú durante las vacaciones de primavera?

Preguntas
Los resultados

Después de leer, contesta las siguientes preguntas del capítulo diez:

1. ¿Qué sonido escucha Mario desde la cama?

2. ¿Dónde está el teléfono de Mario?

3. ¿De quién es el mensaje de texto?

4. ¿Qué quiere hacer Cristina?

5. ¿Cuándo le va a hablar Mario a Cristina?

6. ¿Quiénes están en la cocina?

7. ¿Qué acaban de hacer los papás de Mario?

8. ¿Qué notas recibe Mario en sus exámenes?

9. ¿Qué hace Mario cuando se entera de los resultados de los exámenes?

10. ¿Qué grita la mamá de Mario?

Chapter 10 audio

¡Sí, yo puedo! Glossary

a - to

a almorzar - to eat lunch

a estudiar - to study

a las - at (with time)

a mí - to me

a punto de - about

a qué hora - what time

a ti - to you

abrazo - hug

abre - he/she/it opens

abrumado - overwhelmed

aburrido - bored

acaba de - he/she/it has just

acabamos de - we have just

acaban de - they/you all have just

acabo de - I have just

acceso - access

aceptas - you accept

actor - actor

acuerda: se acuerda - he/she/it remembers

adentro - inside

adivinar - to guess

admito - I admit

adónde - to where

agarra - he/she/it grabs

agarran - they/you all grab

agotado - exhausted

ahora - now

al - to the (*a* + *el*)

al boliche - bowling

al día siguiente - the next day

al fin - at the end

al lado de - next to

al mismo tiempo - at the same time

algo - something

allí - there

almuerzo(s) - lunch(es)

alrededor de - around

alta(s) - tall, high (feminine)

alto - tall (masculine)

alumno(s) - student(s)

amigos - friends (masculine or mixed)

amor - love

anoche - last night

antes - before

antes de - before

antes que - before

año(s) - year(s)

apaga - he/she/it turns off

aplauden - they/you all applaud

aprender - to learn

aprobación - approval

aquí - here

armario - locker

arreglar - to fix

arriba - up

así - like that, like this

así que - so

aún - even

ay - oh

ayer - yesterday

ayuda - help

ayudar - to help

ayudarme - to help me

ayudarte - to help you

azules - blue

baja - low

voz baja - soft voice

bajar: se baja - he/she/it gets out

bajo - short

baloncesto - basketball

bastante - quite

bella - beautiful

besito - little kiss

beso - kiss

bien - good, well

Biología - Biology

boca arriba - face up

boliche - bowling

bolígrafos - pens

bolsillo - pocket

bonita - pretty

brazo - arm

buen - good

buena(s) - good (feminine)

bueno(s) - good (masculine)

buenos días - good morning

busca - he/she/it looks for

cada - each

cada uno - each one

cafés - brown

cafetería - cafeteria

cama - bed

camina - he/she/it walks

caminan - they/you all walk

campana - bell

campeón - champion

cansado - tired

cantando - singing

capítulo - chapter

cara - face

carpeta - folder

casa - house

casi - almost

celebrar - to celebrate

celebrarlo - to celebrate it

cena - dinner

checa - he/she/it checks

checar - to check

chocolate - chocolate

cierra - he/she/it closes

cierto - certain, true

cintura - waist

claro que - certainly, clearly, of course

claro que sí - of course

clase(s) - class(es)

coche - car

cocina - kitchen

cocinando - cooking

cola - line

comen - they/you all eat

comer - to eat

cómica - funny (feminine)

cómico - funny (masculine)

comida(s) - food(s)

como - like, as

cómo - how

¿Cómo es? - What's he/she/it like?

¿Cómo se llama? - What's his/her/its name?

¿Cómo son? - What are they/you all like?

¿Cómo te fue? - How did it go (for you)?

cómoda - dresser

compra - he/she/it buys

comprar - to buy

computadora - computer

con - with

concentrarse - to concentrate

conjugación - conjugation

conjugar - to conjugate

conocieron: se conocieron - they/you all met

contesta - he/she/it answers; answer (command)

contestas - you answer

contigo - with you

continúa - he/she/it continues

correcta - correct

correctamente - correctly

cosa(s) - thing(s)

creativa - creative

creer - to believe

creerlo - to believe it

crees - you believe

creo - I believe

cuadernos - notebooks

cuál - which

cuáles - which

cuando - when

cuándo - when

cuántas - how many (feminine)

cuántos - how many (masculine)

cuatro - four

cuatro y media - four-thirty

cuelga - he/she/it hangs up

culpa - fault

da - he/she/it gives

darte - to give you

de - of, from

de hecho - in fact

de nada - you're welcome

de qué - about what, of what

de repente - suddenly

de veras - really

debajo de - underneath

debes - you should

decide - he/she/it decides

décimo - tenth

decir - to say

dejar - to put aside

dejarlo - to stop it (referring to the game)

del - of the (*de* + *el*)

demás: los demás - the others

demasiado - too much

dentro de - inside

depender de - to depend on

dependo de - I depend on

deportes - sports

deportista - athlete, athletic

desafío - challenge

desayunar - to eat breakfast

desayuno - breakfast

descansa - rest (command)

desde - since, from

despertarse - to wake up

despiden: se despiden - they/you all say goodbye

después: después de - after

día(s) - day(s)

dibujo(s) - drawing(s)

dice - he/she/it says

dicen - they/you all say

diez - ten

diferentes - different

difícil(es) - difficult

digo - I say

dio - he/she/it gave

distribuyen - they/you all distribute

divertido - fun

divierten: se divierten - they/you all have fun

docena - dozen

donde - where

dónde - where

dormido - asleep

dos - two

durante - during

e - and

ejercicios - exercises

el - the

ella - she

ellos - they

emocionado - excited

empaca - he/she/it packs

empezar - to begin, to start

empieza a - he/she/it begins, starts

empiezan (a) - they/you all begin, start

en - in, on

en decir - to say (in saying)

en vez de - instead of

le encanta - he/she/it loves

me encanta - I love

encima de - on top of

encuentra - he/she/it finds

enfrente de - in front of

enoja: se enoja - he/she/it gets angry

enojada - angry (feminine)

enojado - angry (masculine)

entender - to understand

entiende - he/she/it understands

entiendo - I understand

entonces - so, then

entra - he/she/it enters

entran - they/you all enter

entrar - to enter

entre - between

entregar - to turn in

equipo(s) - team(s)

eran - they/you all were

eres - you are

es - he/she/it is

escogiste - you chose

esconde - he/she/it hides

escribe - he/she/it writes

escucha - he/she/it listens (to)

escuela - school

eso - that

Español - Spanish

espera - he/she/it waits

esperando - waiting

esperándolo - waiting for him

esquina - corner

esta - this

está - he/she/it is

estamos - we are

están - they/you all are

estas - these

este - this

estoy - I am

estudia - he/she/it studies

estudiabas - you used to study

estudiando - studying

estudiar - to study

estudias - you study

estudiaste - you studied

estudiemos - let's study

estudio - I study

estupidez - stupidity

exacto - exactly

examen - test

exámenes - tests

excelente - excellent

explica - he/she/it explains

extra - extra

fácil(es) - easy

familia - family

famosa - famous

fantástico - fantastic

favorita(s) - favorites

felices - happy

felicidades - congratulations

feliz - happy

fiesta - party

fin - end

final - end

finales - final

flores - flowers

forma - form

foto(s) - photo(s)

frente - front

fue - it was

fuerte - loud, strong

funcionan - they work

furiosa - furious

gana - he/she/it wins

ganar - to win

gané - I won

gracias - thanks

gran - big

grita - he/she/it yells

gritando - yelling

guapa - good-looking (feminine)

guapo - good-looking (masculine)

gusta - is pleasing, pleases, likeable

le gusta - he/she/it likes

me gusta(n) - I like

ha pasado - he/she/it has spent

hablamos - we talk, speak

hablan - they/you all speak, talk

hablando - speaking, talking

hablar - to speak, to talk

hablo - I speak, talk

hace - he/she/it makes, does

hace poco que - it's been a short time since

le hace - he/she/it gives to him, to her

hacen - they/you all make, do

hacer - to make, to do

haces - you make, you do

hacia - towards

haciendo - making, doing

hambre - hunger

han - they/you all have

han sido - they/you all have been

hasta, hasta que - until

hay - there is, there are

hay que - one must, you must

hecho - done

hijo - son

hijos - children

Historia - History

hoja - sheet

hola - hello

hora(s) - hour(s)

es hora de - it's time to

hoy - today

huevos - eggs

idea - idea

idioma - language

importa - is important

le importa - it is important to him, to her

le importan - they are important to him, to her

increíble - incredible

influencia - influence

Inglés - English

inmediatamente - immediately

inteligente - intelligent

intenta - he/she/it tries

interés - interest

interesante - interesting

internet - internet

interrumpe - he/she/it interrupts

introduce - he/she/it introduces

inventó - he/she/it invented

ir - to go

juega - he/she/it plays

juegan - they/you all play

juego - game

jueves - Thursday

jugamos - we play

jugando (a/al) - playing (a certain game)

jugar - to play

jugo de naranja - orange juice

juntos - together

kínder - kindergarten

la - the, her, it

lado - side

lápices - pencils

lápiz - pencil

las - the, them

le - to him, to her

le hace - he/she/it gives to him, to her

leche - milk

leen - they/you all read

leer - to read

les - to them, to you all

levanta: se levanta - he/she/it gets up

leyendo - reading

libro(s) - book(s)

limonada - lemonade

líneas - lines

lista - list

literatura - literature

llama - he/she/it calls

llamar - to call

llega - he/she/it arrives

llegan - they/you all arrive

llegar - to arrive

llena - he/she/it fills

lo - it

lo que - what

lo siento - I'm sorry

los - the, them

luego - later

lunes - Monday

el lunes - on Monday

mamá - mom

mañana - tomorrow, morning

por la mañana - in the morning

por la noche - at night

por la tarde - in the afternoon

manda - he/she/it sends

maneja - he/she/it drives

manera - way

mano(s) - hand(s)

marcar - to score

más - more

más que - more than

Matemáticas - Math

mayoría - majority

me - me, to me

me parece bien - it sounds good to me

media - half

mejor - better

mejores - best

memorización - memorization

memorizar - to memorize

mensaje - message

mes - month

mesa - table

mí - me

a mí - me

mi(s) - my

mientras - while

minutos - minutes

mira - he/she/it looks at; look (command)

miramos - we look at

mirando - looking at, watching

mirar - to look at, to watch

miren - look (command)

misión - mission

misma(s) - same (feminine)

mismo(s) - same (masculine)

  sí mismo - himself

  tú mismo - yourself

mochilas - backpacks

momento(s) - moment(s)

moreno - dark (haired)

muchacha - girl

muchachas - girls

muchacho - guy

muchachos - guys, guys and girls

mucha(s) - many, much, a lot of (feminine)

mucho(s) - many, much, a lot of (masculine)

muy - very

nada - nothing

nada más - nothing else

nadie - no one

necesita - he/she/it needs

necesitamos - we need

necesitan - they/you all

need

necesito - I need

nervioso - nervous

no - no, not

No sé que me pasa. - I don't know what's wrong with me.

noche - night

nombres - names

normalmente - normally

nos vemos - we'll see you

nosotros - we

nota - he/she/it notices

notas - grades

novela(s) - novel(s)

novia - girlfriend

novias - girlfriends

novio - boyfriend

novios - a couple, boyfriend and girlfriend

nuestro - our

nueva - new (feminine)

nuevo - new (masculine)

nunca - never

o - or

ocho - eight

ocho y media - eight-thirty

oficina - office

ofrecer: por ofrecerme - for offering me

ojos - eyes

olvídalo - forget it (command)

orgullosa(s) - proud (feminine)

orgulloso(s) - proud (masculine)

otra(s) - other(s)

otra vez - again

otro - other, another

oye - hey

padres - parents

pagan - they/you all pay

palabra(s) - word(s)

palomitas - popcorn

panqueques - pancakes

pantalla - screen

papá - dad

papás - parents

papel - paper

paquetes - packets

para - for, in order (to)

parece - it seems

parece que - it looks like, seems like

me parece - it looks to me

partido - game

pasa - he/she/it passes, spends (time)

pasan - they pass, spend (time)

pasar - to pass, spend (time)

pasó - passed, he/she/it spent (time)

pedir - to ask for, to order

pedirle - to ask her

pelear - to fight

peleas - you fight

película - movie

pelo - hair

pensando en - thinking about

pensar - to think

pensar en - to think about

perdón - forgiveness

perdóname - forgive me (command)

perdono - I forgive

perfecto - perfect

pero - but

persona - person

personalidad - personality

pescado - fish

piden - they/you all ask for, order

piensa - he/she/it thinks

piensas - you think

pienses - you think (subjunctive)

pienso - I think

pila - pile

planes - plans

poco - little

podemos - we are able

poder - to be able

pollo - chicken

pone - he/she/it puts

se pone - he/she/it becomes

ponemos - we put

ponen - they/you all put

poner - to put

por - for, by, because of, by way of

por favor - please

por fin - finally

por qué - why

porque - because

práctica - practice

practicar - to practice

prefiero - I prefer

pregunta - he/she/it asks

preguntas - questions

presta atención - he/she/it pays attention

prestar atención - to pay attention

primavera - spring

primer(o) - first (masculine)

primera - first (feminine)

probarse - to prove to oneself

problema - problem

profesor(es) - teacher(s)

programa - program

prometo - I promise

pronto - soon

propias - own

próxima - next

puedas - you are able (subjunctive)

puede - he/she/it is able

pueden - they/you all are able

puedes - you are able

puedo - I am able

puerta - door

pues - well

punto(s) - point(s)

pupitre(s) - desk(s)

que - that, than

¡Que tengas muy buen día! - Have a great day!

qué - what

¡Qué bonito! - How pretty!

¡Qué bueno! - How good!

¡Qué día más fantástico! - What a most fantastic day!

¡Qué examen tan fácil! - What an easy test!

¿Qué te pasa? - What's wrong with you?

¡Qué torneo tan bueno! - What a really great tournament!

quedan - they/you all remain

queremos - we want

quién - who

quiénes - who

quiera - I want

(subjunctive), he/she/it wants (subjunctive)

quiere - he/she/it wants

quieren - they/you all want

quieres - you want

quiero - I want

quince - fifteen

rápido - quickly

rato - while

razón - reason

realmente - really

recámara - bedroom

reciba - he/she/it receives (subjunctive)

recibe - he/she/it receives

recibes - you receive

recibí - I received

recibir - to receive

recibiste - you received

recoger - to get

recogerlo - to pick it up

recuerda - remember (command)

recuerdas - you remember

regresa - he/she/it returns

regulares - regular

relación - relationship

reloj de pared - wall clock

repaso - review

responde - he/she/it responds

responden - they/you all respond

respuesta(s) - answer(s)

resto - rest

ríe: se ríe - he/she/it laughs

riendo - laughing

rojas - red

ronda - round

ropa - clothing

rosas - roses

sábado(s) - Saturday(s)

los sábados - on Saturdays

sabe - he/she/it knows

saben - they/you all know

saber - to know

sabes - you know

saca - he/she/it takes out

sala - living room

sale - he/she/it leaves

salen - they/you all go out, leave

salir - to go out, to leave

salta - he/she/it jumps

sarcástica - sarcastic

se - himself/herself/themselves

se acuerda - he/she/it remembers

se conocieron - they/you all met each other

se da cuenta de - he/she/it realizes

se despierta - he/she/it wakes up

se llama - he/she/it is called

se pone - he/she/it becomes

sé - I know

sección - section

seguimos - we continue

seguir - to continue

seguir siendo - to continue being

segundo(s) - second(s)

semana(s) - week(s)

sentados - seated

sentar - to sit

sentarse a - to sit at

señal - sign

señal de aprobación - sign of approval

señora - ma'am

ser - to be

seria - serious

si - if

sí - yes

sido - been

siempre - always

siendo - being

sienta: se sienta - he/she/it sits

siente: se siente - he/she/it feels

siento: me siento - I feel

siete - seven

las siete - seven (time)

sigue - he/she/it continues

siguen - they/you all continue

siguientes - following

silencio - silence

sin - without

sin saber - without knowing

sitio(s) - site(s)

sobre - over, on

solamente - only

solo - alone

son - they/you all are

son las... - it is... (with time)

sonido - sound

sonríe - he/she/it smiles

sonríen - they/you all smile

sonrisa - smile

sopla - he/she/it blows

sorbo - sip

soy - I am

su(s) - his/her/its/their

suena - it rings

suerte - luck

supermercado - supermarket

suspira - he/she/it sighs

tal vez - maybe, perhaps

también - also

tan - so

tanta - so much

tantas - so many

tanto - so much

tarde - late

más tarde - later

tarjetas - cards

te - you, to you

té helado - iced tea

tele - T.V., television

teléfono - telephone

tenemos - we have

tenemos que - we have (to do something)

tener - to have

tener que - to have (to do something)

tengan - they/you all have (subjunctive)

tengas - you have (subjunctive)

tengo - I have

tengo hambre - I am hungry

tengo que - I have (to do something)

tensión - tension

termina - he/she/it finishes

terminados - ending

terminamos - we finish

terminan (de) - they/you all finish

terminar - to finish

terminaron - they/you all finished

texto - text

ti - you

a ti - you

tiempo - time

a tiempo - on time

tiene - he/she/it has

tiene hambre - he/she/it is hungry

tiene que - he/she/it has to (do something)

tiene razón - he/she/it is right

tienen - they/you all have

tienes - you have

tienes que - you have (to do something)

tienes razón - you are right

tímido - shy

tipo - type

toca - he/she/it knocks

tocar - to knock

tocino - bacon

toda(s) - all

todavía - still

todo(s) - all, everything

toma - he/she/it takes,

drinks

tomar - to drink

tomarlo - to take it

tontas - silly

torneo - tournament

trabajo - work

tratar de - to try

treinta - thirty

tres - three

trimestre - trimester

tu(s) - your

tú - you

último - last

un – a, an (masculine)

una – a, an (feminine)

unas – some, a few (feminine)

uno - one

unos – some, a few (masculine)

único - only

usa - he/she/it uses

usar - to use

usas - you use

ustedes - you all

usualmente - usually

va (a) - he/she/it goes, is going (to)

vacaciones - vacation

vamos (a) - we go, are going (to)

van (a) - they/you all go, are going (to)

vas (a) - you go, are going (to)

vaso(s) - glass(es)

ve - he/she/it sees

venir - to come

veo - I see

ver - to see

verbos - verbs

verdad - true

verte - to see you

ves - you see

vez - time

a veces - at times

una vez - one time

vida - life

videojuego(s) - video game(s)

viene - he/she/it comes

vocabulario - vocabulary

voy (a) - I go, am going (to)

me voy - I'm leaving

voz - voice

y - and

ya - already, now

yo - I